S0-BIS-718

LA SÉRIE
QUE SIGNIFIE . . .

Données de catalogage avant publication (Canada)

Schemenauer, Elma.
Que signifie—être responsable

(Que signifie ; 2)
Traduction de: What it means to be—responsible.
ISBN 0-7172-2369-8

1. Responsabilité — Ouvrages pour la jeunesse.
I. Pileggi, Steve. II. Titre.
III. Titre: Être responsable. IV. Collection.

BJ1451.S3414 1987 j158'.1 C87-094924-1

QUE SIGNIFIE . . .

ÊTRE RESPONSABLE

Histoire d'

Elma Schemenauer

Illustrations de

Steve Pileggi

Être responsable, c'est participer aux tâches familiales.

C'était l'heure du souper. Pendant que sa mère mélangeait la salade, Caroline sortit les assiettes de l'armoire et commença à mettre la table.

«Regardez!» dit Pascale, qui était en train de nourrir le chien, «il commence à pleuvoir!» Elle courut à la galerie et en rapporta le journal.

Papa finissait à peine de faire les grillades dans la cour. Il entra dans la cuisine en apportant un plat de viandes. «Heureusement que j'ai fini avant que la pluie ne tombe!» dit-il.

«C'est une bonne idée de préparer ensemble le repas», remarqua Caroline. «C'est tellement plus vite!»

«La salade est prête!» annonça maman. «Et si nous allions au cinéma après le repas!»

Dans une famille, chacun a certaines tâches à accomplir. Lorsque les membres de la famille sont responsables, ils participent aux tâches. Ils partagent ensemble les tâches et les moments de plaisir.

Être responsable, c'est t'occuper de tes animaux.

Pascale avait un petit animal qu'elle aimait beaucoup: un hamster nommé Roustaud. La cage de Roustaud se trouvait dans la chambre de Pascale, qui avait pour tâche de s'en occuper. Elle jouait avec lui aussi souvent que possible et lui donnait à boire et à manger.

Tout cela changea brusquement lorsque Pascale reçut une nouvelle bicyclette. Elle se mit à faire de longues promenades et en oublia totalement Roustaud pendant près d'une semaine.

De retour d'une de ses promenades, Pascale le trouva blotti dans un coin de la cage. Il n'avait ni eau ni nourriture et semblait affreusement seul.

«Oh, mon Roustaud!» s'écria Pascale. Elle alla lui chercher à boire et à manger. Elle se promit que jamais plus elle n'oublierait son cher petit ami.

Si tu promets de t'occuper d'un animal, tu en deviens responsable. Si tu n'en prends pas soin, c'est l'animal qui souffrira, ou bien quelqu'un d'autre devra s'en occuper à ta place.

Être responsable, c'est ranger tes jouets.

Quand Nicolas rentrait chez lui, il prenait soin de remettre son rouli-roulant sur l'étagère qui lui était réservée. Mais un jour, il négligea, un peu par paresse, de le faire. Pressé de regarder son émission de télévision préférée, il laissa son rouli-roulant dans le couloir.

Le même soir, son grand-père vint leur rendre visite. Il trébucha sur la planche et tomba. Nicolas se précipita pour l'aider à se relever. Fort heureusement, son grand-père ne s'était pas fait trop de mal: il s'était seulement éraflé le coude. «Je m'excuse de ne pas avoir rangé mon rouli-roulant», dit Nicolas en l'aidant à panser sa blessure.

Une personne responsable prend le temps de ranger ses jouets après usage. On peut ainsi éviter bien des accidents.

Être responsable, c'est mettre de l'ordre dans tes affaires.

Quand Sarah faisait le ménage de sa chambre, elle glissait les animaux en peluche sous le lit, entassait les boîtes de jeux sans refermer les couvercles et jetait pêle-mêle ses vêtements dans l'armoire. Et quand l'armoire était trop pleine, elle la refermait d'un coup de pied.

Un jour qu'elle se trouvait chez son amie Annie, Sarah regarda autour d'elle. Les animaux de peluche étaient soigneusement alignés sur le lit. Les boîtes de jeux étaient refermées et bien empilées. Dans l'armoire, les vêtements étaient suspendus.

«Ta chambre est plus petite que la mienne et il y a plus de place pour jouer. C'est plus agréable», remarqua Sarah.

Annie ne dit rien. Elle se contenta de sourire.

Sarah avait-elle besoin d'une explication?

Ta maison paraîtra plus spacieuse et plus ordonnée si tu ranges soigneusement et proprement tes affaires.

Une personne responsable tient ses promesses.

La mère de Sophie avait invité les amis de sa fille à pique-niquer au Parc des Dunes. Chaque enfant avait décidé d'apporter quelque chose.

«J'apporterai des saucissons», dit Caroline.

«J'apporterai des petits pains», dit Paul.

«J'apporterai la moutarde et des condiments», dit Simon.

«Et moi, j'apporterai du bon jus d'orange frais», conclut François.

Arrivés au parc, Sophie et ses amis s'amusèrent à glisser sur les dunes de sable, à comparer leurs traces de pas et même à suivre la piste d'un raton laveur.

Ces jeux leur creusèrent l'appétit et ils décidèrent de manger. Les enfants aidèrent la mère de Sophie à déballer les bonnes choses qu'ils avaient apportées.

«J'ai très soif», dit Paul. «Je prendrais bien un verre du jus d'orange qu'a apporté François.»

«Oh, non!» s'écria François. «Je l'ai complètement oublié!»

«Tu l'avais pourtant promis», dit Pascale.

«Il y a une ferme à la sortie du parc», dit alors la mère de Sophie. «Quelqu'un pourrait peut-être y aller et demander de l'eau aux propriétaires.»

«Je vais y aller si quelqu'un m'accompagne», dit aussitôt François. «Je regrette d'avoir oublié le jus d'orange.»

Si tu organises une sortie avec un groupe d'amis, fais ton possible pour contribuer aux préparatifs. Si tu ne peux tenir une promesse que tu as faite, excuse-toi et tâche de trouver un moyen de te rattraper.

Une personne responsable transmet les messages.

La grand-mère de Paul vendait des maisons et ses clients lui téléphonaient souvent pour lui demander des renseignements importants.

Un jour que Paul se trouvait chez sa grand-mère, le téléphone sonna. Grand-mère étant allée au bureau de poste, Paul répondit. «Peux-tu lui demander de rappeler M. Dion aussitôt que possible?» lui dit la personne.

«Entendu», répondit Paul.

Peu après, ses cousins arrivèrent. Paul sortit avec eux. Ils jouèrent au base-ball, grimpèrent aux arbres et firent quelques tours de bicyclette. Tout occupé à ses jeux, Paul en oublia complètement le message de M. Dion.

Le lendemain matin, la grand-mère de Paul dut de nouveau sortir. «Pourrais-tu répondre au téléphone?» lui demanda-t-elle. «Surtout, n'oublie pas de prendre les messages. Hier, j'ai manqué l'occasion de vendre la maison de M. Dion parce que je n'ai pas eu le message.»

Peu après le départ de sa grand-mère, le téléphone sonna. C'était Mme Lavoie. Elle demandait à Grand-mère de la rappeler.

«Je ne dois pas oublier de transmettre ce message à grand-maman», se dit-il. Il inscrivit sur une feuille le nom et le numéro de téléphone de Mme Lavoie, puis posa le papier près de l'appareil. Et pour être certain de ne pas l'oublier, il enroula une ficelle autour de son doigt.

Plus tard, le téléphone sonna de nouveau. C'était un cousin de Paul. Il lui demandait s'il voulait aller à la piscine après le retour de grand-maman.

«Un message que je n'oublierai pas», se dit Paul.

Il y a plusieurs moyens de te souvenir des choses importantes: tu peux, par exemple, écrire une note ou même faire sonner un réveil.

Être responsable, c'est respecter les règlements familiaux.

Sarah et François étaient dans l'autobus scolaire qui les ramenait chez eux. «Veux-tu venir voir mes lapins?» demanda François. «Si tu le veux, on pourrait descendre à mon arrêt d'autobus.»

Sarah avait bien envie de voir les lapins, mais elle se souvint de ce que ses parents lui répétaient souvent: «Si tu vas quelque part, n'oublie pas de nous prévenir.»

«Je pourrais peut-être y aller demain», répondit-elle. «Je dois le demander à mes parents.»

De retour chez elle, Sarah demanda à ses parents la permission d'aller chez François. Ils lui répondirent qu'ils n'y voyaient aucun inconvénient. Le lendemain, les deux amis se rendirent chez François. Ils s'amusèrent avec Mustacha et Blanchet, deux petits lapins aux adorables museaux roses.

Demander à tes parents la permission d'aller voir un ami fait partie de tes responsabilités. Tes parents pourraient s'inquiéter s'ils ne savent pas où tu es.

Être responsable, c'est respecter les règlements de la circulation.

Lors d'une vente de garage où elle avait été avec Caroline, Sophie trouva un livre qu'elle voulait lire depuis longtemps. «Je n'ai jamais réussi à trouver ce livre à la bibliothèque», dit-elle.

«Tu devrais l'acheter», dit Caroline. «Certaines pages sont détachées, mais je crois qu'il n'en manque aucune.»

Sur le chemin du retour, Sophie feuilletait son livre lorsqu'un vent soudain emporta quelques pages. Sophie traversa la rue pour les récupérer.

«Reviens, Sophie!» s'écria Caroline. «Tu ne vois pas que le feu est rouge?»

Sophie revint en hâte sur le trottoir. Il était temps: un énorme camion fonçait sur la route. Il l'avait presque frôlée.

Quand tu es pressé ou surexcité, tu peux oublier certains règlements: attendre que le feu soit vert pour traverser, par exemple. Ces règlements sont faits pour te protéger. Il est important de les respecter.

Être responsable, c'est respecter les lois municipales.

Sébastien et son grand frère avaient un chien nommé Gamin. Comme l'exigeait une loi municipale, le chien devait soit rester dans une cour clôturée, soit être tenu en laisse. Or, Gamin n'aimait pas rester dans la cour. Il aboya tellement que Sébastien ouvrit la porte de la cour et le laissa sortir.

«Gamin ne peut aller très loin», se dit-il en se dirigeant vers la cuisine. Mais le petit chien, que personne ne surveillait, descendit la ruelle et pénétra dans la cour de M. Fortin. Avec de joyeux jappements, il se mit à déterrer les pensées et les pétunias que M. Fortin venait à peine de planter.

Apercevant Gamin, M. Fortin brandit le poing d'un air menaçant. «Je vais appeler la fourrière!» cria-t-il. «C'est la quatrième fois que ce chien vient déterrer les fleurs de mon jardin!»

Quelques minutes plus tard, le camion de la fourrière arriva en vrombissant. L'employé de la fourrière attrapa Gamin au moyen d'un filet et le mena au dépôt pour animaux.

Sébastien aperçut le camion au moment même où il démarrait. Il se dit alors qu'il avait agi bien imprudemment. Accompagné de son frère, il se rendit au dépôt et paya avec son argent de poche l'amende requise pour retirer Gamin. Puis, il alla chez M. Fortin, s'excusa d'avoir laissé sortir le chien et lui proposa de replanter les fleurs.

Les lois municipales sont faites pour protéger les personnes, les biens et les animaux. Les respecter est faire preuve de responsabilité. Si tu fais une erreur, tu dois l'admettre et faire tout ce qui est en ton possible pour la réparer.

Être responsable signifie ne pas suivre des personnes inconnues.

Simon et Pascale rentraient chez eux lorsqu'une voiture rouge ralentit et s'arrêta près d'eux. «Voulez-vous que je vous accompagne?» dit le conducteur d'une voix très aimable.

Pascale hocha la tête en signe de refus et entraîna Simon. Tous deux accélérèrent le pas.

«Laissez-moi vous offrir une crème glacée», dit l'homme. «Il fait si chaud!»

Simon hocha la tête. Il prit la main de Pascale et courut avec elle jusque chez lui. Aussitôt que la mère de Simon sortit, la voiture s'éloigna.

En général, les personnes inconnues sont aimables et ne te veulent aucun mal. Mais, il y a toujours quelques exceptions. Voilà pourquoi tu ne dois jamais suivre une personne inconnue ou accepter ce qu'elle t'offre.

Une personne responsable sait ce qu'elle doit faire lorsqu'elle est seule et loin de chez elle.

Pascale faisait partie d'un Club et revenait toujours des réunions qui avaient lieu à la bibliothèque avec Andréane, une amie plus âgée qu'elle. Un jour, Andréane ne vint pas à la réunion. Pascale appela sa mère, mais la ligne était occupée. Elle attendit quelques instants, puis téléphona de nouveau. La ligne était toujours occupée . . .

Mme Gauthier, la bibliothécaire, s'apprêtait à fermer les portes. «Je ne peux pas rentrer toute seule», se dit Pascale. «Il vaut mieux que je demande conseil à Mme Gauthier.»

«Je me ferai un plaisir de t'accompagner en voiture», dit Mme Gauthier, quand Pascale lui eut expliqué son problème. «Quelle est ton adresse?»

Pascale hésita puis dit: «497, rue Fabreville».

«Je passe par la rue Fabreville», dit Mme Gauthier. «Cela ne me dérangera pas du tout.»

Il est important que tu connaisses ton nom, ton adresse et ton numéro de téléphone. Cela permet aux autres de t'aider si tu as un problème.

Une personne responsable ne joue pas dans les endroits dangereux.

ATTENTION DANGER indiquait un panneau du chantier de construction. «Viens, dit Paul, allons jouer au chantier. Les ouvriers ne travaillent pas aujourd'hui. Personne ne viendra nous ennuyer.»

«Pas question», répondit Nicolas. «Tu ne vois pas le panneau? Moi, je n'y vais pas!»

«Eh bien, moi j'y vais», dit Paul. Il sauta par-dessus la clôture et se mit à marcher sur les planches qui recouvraient un trou large et profond. Soudain, Paul perdit pied et tomba. «Au secours!» cria Paul.

Nicolas courut à l'épicerie la plus proche et demanda de l'aide. Quand Paul sortit du trou, il était trempé. Ses deux genoux étaient écorchés.

«Encore heureux que tu ne te sois pas cassé une jambe», dit l'épicier. «Vous feriez mieux de rentrer chez vous. Ce n'est pas un endroit pour jouer.»

Les personnes responsables respectent les panneaux indiquant la présence d'un danger. Elles se tiennent à l'écart des endroits dangereux, tels que les chantiers de construction, les voies ferrées et les versants abrupts des rivières.

Être responsable, c'est t'occuper des enfants plus jeunes que toi.

«Pouvez-vous surveiller le petit?» demanda la gardienne à Sophie et à Caroline. «La mère de Sophie m'a demandé de donner quelques coups de téléphone importants.»

Sophie et Caroline transportèrent leurs boîtes de jeux au salon afin de rester près du petit Luc. Mais elles étaient si absorbées par le jeu qu'elles ne virent pas l'enfant prendre une boîte d'allumettes.

Levant les yeux, Sophie vit soudain les allumettes avec lesquelles jouait Luc. «Non,Luc», s'écria-t-elle en se précipitant vers lui. «Des allumettes, c'est dangereux. Joue plutôt avec nos crayons de couleur.»

Sophie lui tendit des crayons de couleur et une feuille de papier pour qu'il puisse s'amuser.

En jouant avec des allumettes, les jeunes enfants peuvent se brûler ou mettre le feu à une maison. Tu es assez grand pour le savoir, mais eux ne le savent pas encore. Tu dois empêcher les tout-petits de jouer avec les objets dangereux comme des allumettes, des couteaux ou des flacons de médicaments.

Être responsable, c'est prendre soin de tes biens.

Sébastien et Nicolas avaient reçu des casquettes de base-ball au cours de la fin de semaine. Le lundi matin, les deux garçons les portaient fièrement pour aller à l'école.

Pendant la récréation, les élèves s'essayèrent à faire des cabrioles sur l'herbe. À la première cabriole, Nicolas perdit sa casquette. «Je vais la mettre dans mon sac», se dit-il. «De cette façon, je ne la perdrai pas.»

En faisant ses cabrioles, Sébastien perdit également sa casquette. Mais il n'y avait pas pris garde. Quelques minutes plus tard, la sonnette de l'école retentit et les élèves rentrèrent en classe. C'est alors que la casquette de Sébastien fut emportée par le vent.

Sébastien ne retrouva jamais sa casquette.

Il suffit de peu de temps et de réflexion pour conserver tes biens. Cela vaut la peine, car tu pourras les utiliser non seulement sur le moment, mais aussi longtemps après leur acquisition.

Être responsable, c'est respecter la propriété des autres.

Nicolas avait invité Sébastien à venir chez lui. «Nous pourrons construire une maquette de cabane», lui avait-il dit. «Mon père m'autorise à utiliser les outils de son atelier.»

Mesurer, couper, coller, peindre. Ils travaillèrent avec beaucoup d'ardeur. Quand ils eurent fini, ils contemplèrent leur travail, satisfaits.

Le père de Nicolas, lui, fut beaucoup moins satisfait lorsqu'il rentra à la maison. «Écoute, Nicolas», lui dit-il sur un ton de reproche. «Tu as laissé mes ciseaux dans le salon et mon ruban sous la table de la cuisine. Et tu n'as même pas refermé le couvercle de mon pot de peinture.

«Je m'excuse, Papa», dit Nicolas.

«Moi aussi, je m'excuse», dit Sébastien.

«Viens, Sébastien», dit alors Nicolas. «Allons mettre de l'ordre dans l'atelier de mon père.

Lorsque tu utilises les affaires de quelqu'un d'autre, ce que tu ne dois pas faire sans leur permission, tu dois toujours en prendre un soin particulier et les remettre à l'endroit où tu les as trouvées.

Une personne responsable se soucie de son environnement.

C'était jour de parade. Tout le quartier était venu assister aux festivités. Il y avait une fanfare, des cortèges haut en couleurs et même des clowns aux visages bariolés.

Le défilé passait dans un parc où l'on vendait des casse-croûte. Là, les gens ne semblaient pas se soucier de savoir où ils jetaient leurs sacs vides, leurs serviettes de papier et leurs cannettes. Tout cela traînait sur l'herbe et au milieu des fleurs.

«Notre joli parc est si sale!» dit Caroline à la fin du défilé.

«Les gens auraient dû jeter les déchets dans les poubelles», ajouta Paul.

L'environnement, c'est tout ce qui t'entoure: la terre, le ciel, les arbres, les lacs, les rues et les immeubles. Une personne responsable contribue à la propreté de son environnement.

«On pourrait peut-être nettoyer un peu», proposa François. Au même moment, il vit Simon, Pascale, Sébastien et Sophie de l'autre côté de la rue. «Venez nous aider!» leur cria-t-il. Tout le monde se rassembla. Simon et Pascale ramassèrent les cannettes vides, tandis que Sébastien et Sophie se chargèrent des sacs de croustilles, des serviettes en papier et des emballages de friandises. «Mettons tout cela dans les poubelles», dit Paul.

En peu de temps, le parc retrouva son bel aspect propre.

Les personnes responsables sont de bons voisins, mais aussi de bons enfants et de bons amis. Si tu es une personne responsable, tu te sentiras satisfait de toi-même et les gens aimeront ta compagnie. Voici comment tu peux devenir responsable:

- Participe aux tâches ménagères.
- Tiens tes promesses.
- Respecte les lois et les règlements.
- Prends soin de tes biens et de ceux des autres.
- Aide les autres.
- Reconnais tes erreurs et tâche d'y remédier.

Imprimé aux États-Unis